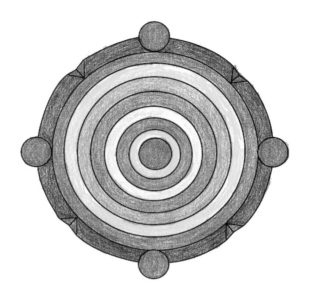

행·복·한·만·다·라·그·리·기·시·리·즈

만다라 그리기 45

노인편 | 계절

정여주 지음

학지사

만다라 그리기 기대효과

- 집중력이 증가하며 고요한 상태를 경험한다.
- 마음이 평온해진다.
- 심리적 안정감을 얻게 된다.
- 활기와 기쁨을 얻게 된다.
- 감정 조절 능력이 증가한다.
- 수용적이고 너그러워진다.
- 마음의 중심을 발견한다.
- 자연과 우주와 일체감을 느낀다.
- 관찰력이 증가한다.
- 창의적 아이디어가 증가한다.
- 색 감각, 형태 감각, 미적 감각이 증가한다.
- 소근육 운동력과 손과 눈의 협응력을 높인다.
- 모든 존재에 대한 애정과 존엄성을 가진다.
- 내적 균형과 에너지의 통합을 이룬다.

서문

이 작은 책은 행복한 여행을 위한 초대장입니다. 이곳에 초대된 당신은 자연과 모든 생명체와 만나며, 당신의 참모습과 에너지를 새롭게 발견하게 될 것입니다. 만다라는 당신이 향기로운 꽃밭에 앉아 있거나, 신선한 숲을 걷거나, 떠오르는 태양이나 지는 노을, 푸른 밤하늘을 바라볼 때 항상 함께 있는 편안한 동반자입니다.

만다라 시리즈는 유아, 아동, 청소년, 성인, 노인 대상에 따라 계절, 식물, 동물, 곤충, 바다, 우주와 자연, 세계의 전통과 예술, 색종이를 접어서 오려 만든 문양으로 구성되었습니다. 모든 시리즈의 마지막에는 자유롭게 그릴 수 있는 빈 원과 색종이를 오려서 만다라를 만들 수 있는 빈 사각형을 준비하였습니다. 전통 및 예술 문양은 그대로 사용하거나 응용하였습니다.

온전한 자아를 꿈꾸며, 자연과 우주와 한 몸이라는 것을 경험하고 싶은 당신의 내적 모습을 마법의 원에 즐겨 담아내리라 기대합니다. 이제, 만다라를 그리며 시간을 잊는 행복한 여행을 함께 시작해 봅시다.

이 책을 만드는 데 즐거운 마음으로 동참해 주신 부모님, 많은 도움을 준 제자들과 학지사의 모든 분들에게 진심으로 감사를 드립니다.

2009. 3.
지은이 정여주

만다라 그리기 안내

만다라의 의미

만다라는 고대인도 산스크리트어로 '원'이다. 원은 시공을 초월하여 어디서나 만날 수 있는 기본 형태로서 중심을 지니고 있다. 삼라만상의 원리와 우주의 흐름을 상징하는 만다라는 창조신화, 종교, 의례, 치유, 민속놀이, 영성체험 등에 중요한 역할을 하는 '마법의 원', '치유의 원'이다. 만다라는 원 형태뿐 아니라, 나선 형태, 미로 형태, 구 형태, 정방형, 삼각형으로도 표현된다.

만다라의 적용 영역

* 명상과 영성체험
* 미술치료
* 재활치료
* 교육 및 범교과 학습영역

* 창의력 계발
* 자기성장 및 인성 계발
* 상담과 심리치료
* 스트레스 및 위기 극복 프로그램

만다라의 보관과 응용

* 만다라 그리기가 완성된 책을 보면서 이야기나 동화를 쓸 수 있다.
* 완성한 만다라를 오려서 액자에 넣어 장식할 수 있다.
* 자신이 생활하는 공간에 붙여 두고 만다라와 만나며 대화를 나눌 수 있다.
* 완성된 만다라의 뒤편에 기름을 바르고 오려서 창문 장식으로 사용할 수 있다.

만다라 그리기 준비

◎ 환경
* 조용하고 정리된 밝은 공간에 전화나 외적 방해를 받지 않도록 한다.
* 편안한 의자와 탁자 및 바닥에 앉을 경우를 고려하여 방석이나 매트가 있으면 좋다.
* 명상음악과 더불어 향이나 꽃이 있으면 더 효과적으로 작용할 것이다.

◎ 재료
* 채색재료는 선호에 따라 두세 가지 이상 준비한다.
  주재료: 색연필, 사인펜, 물감색연필, 마카, 크레파스, 파스텔, 오일파스텔, 물감, 포스터 칼라 등
          (12~24색 정도)
  부재료: 붓, 물통, 팔레트, 컴퍼스, 연필, 지우개, 정착액, 티슈, A4 용지

만다라 그리기

* 만다라를 그리기 전에 재료들을 자기 앞에 정리해 둔다.
* 눈을 감고 명상음악을 들으며 호흡과 신체이완을 한다.
* 책 내용에 따라 차례대로 그리거나 자신에게 가장 와 닿는 문양을 선택하여 색칠한다.
* 빈 원은 자유롭게 구성하여 색칠하고 빈 사각형은 색종이를 몇 번 접어 오려서 붙인다.
* 중심에서 원주방향이나 원주에서 중심방향 중에 원하는 방향을 선택하여 그린다.
* 칠하고 싶지 않은 부분은 그대로 둘 수 있다.
* 한 재료만 사용하지 않아도 된다. 예를 들어, 색연필과 사인펜을 함께 사용할 수 있다.
* 시작한 만다라는 가능한 한 완성하도록 한다.
* 만다라를 완성하면 만다라를 감상하거나 느낌을 글로 기록해 두어도 좋다.
* 만다라를 완성한 날짜, 본인 이름 혹은 제목을 그림 아래쪽이나 뒤편에 적어 둘 수 있다.
* 만다라 그리기에서 가장 중요한 것은 자신이 원하는 대로 그리는 것이다.

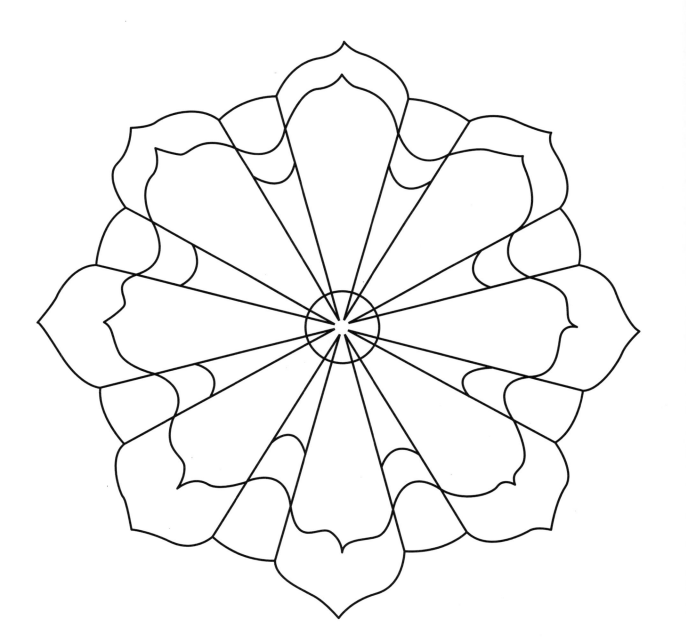

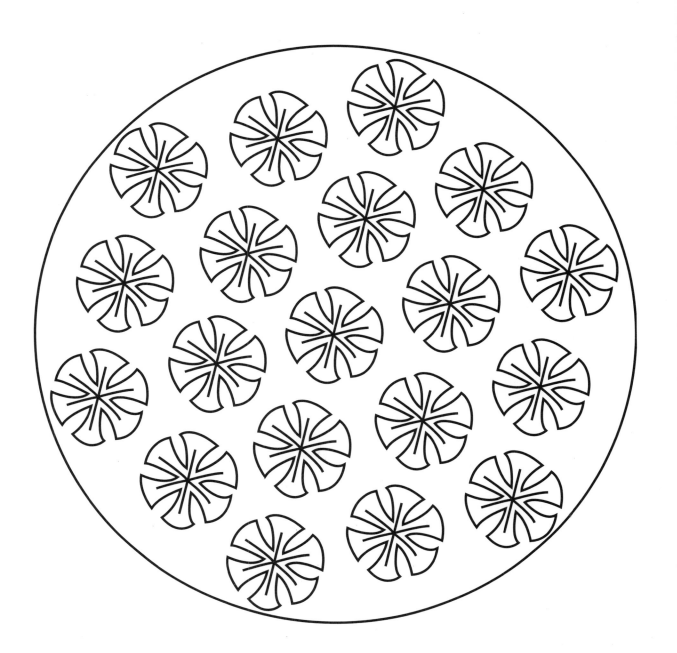

11

13

18

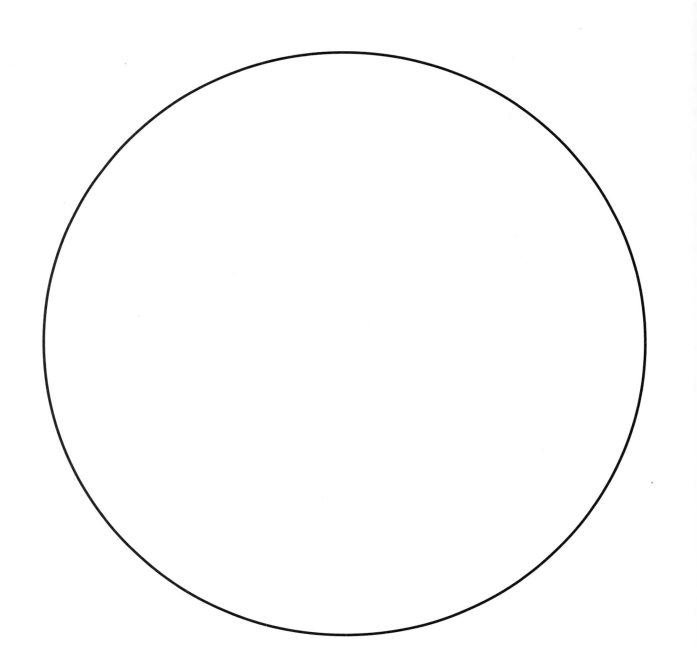

참고문헌

임영주(2004). **한국의 전통문양**. 서울: 대원사.

정복상 · 정이상(1996). **전통 문양의 응용과 전개**. 서울: 창지사.

정여주(2001). **만다라와 미술치료**. 서울: 학지사.

Dahlke, R. (1999). *Malblock zur Mandala Therapie*. München: Heinrich Hugendubel Verlag.

Fiala, H. (1997). *Selbsterfahrung mit Mandala*. Steyr: Ennsthaler Verlag.

Kennedy, P. E. (1971). *North American Indian Design Coloring Book*. New York: Dober Publications.

Sieds, D. S., & Sahffer, F. W. (1999). **인디언 전통문양**. 서울: 이종문화사.

The Pepin Press (2005). **세계 전통장식문양**(2) **선사시대 · 고대 · 유럽**. 서울: 이종문화사.

The Pepin Press (2005). **세계 전통장식문양**(3) **아프리카 · 이슬람 · 아시아 · 태평양 연안 · 미국**. 서울: 이종문화사.

Verlag Ernst Kaufmann (2000). *Das Zentrum der Stille*. Lahr: Kaufmann.

지·은·이 소·개 _ 정 여 주

정여주는 독일 쾰른대학교에서 교육학 석·박사학위를 취득하고 서울여자대학교 특수치료전문대학원 미술치료 교수로 재직하며, 미술치료 워크숍과 임상감독을 겸하고 있다. 특히 만다라 미술치료와 영성 주제에 대한 지속적인 워크숍과 연구를 통하여 치료와 영성에 대해 깊은 관심을 가지고 있다.

저서로는 학지사 출판사의 『만다라와 미술치료』, 『미술치료의 이해』, 『상호작용놀이를 통한 집단상담』, 『노인미술치료』, 『미술교육과 문화』가 있고, 역서로는 『미술치료』, 『색의 신비』, 『치유로서의 그림』, 『인지학 예술치료』(공역), 『그림 속의 나』(공역)가 있다.

| 행복한 만다라 그리기 시리즈 | 〈전 50권〉

만다라 그리기 노인편 45 계절

2009년 3월 20일 1판 1쇄 발행
2021년 1월 20일 1판 4쇄 발행

지은이 • 정여주
펴낸이 • 김진환
펴낸곳 • ㈜ 학지사

　　　　04031 서울특별시 마포구 양화로 15길 20 마인드월드빌딩
대표전화 • 02)330-5114　　　　팩스 • 02)324-2345
등록번호 • 제313-2006-000265호
홈페이지 • http://www.hakjisa.co.kr
페이스북 • https://www.facebook.com/hakjisabook

ISBN 978-89-93510-85-0 04180
ISBN 978-89-93510-99-7 04180(set)

값 3,500원

출판 · 교육 · 미디어기업 학지사

간호보건의학출판 학지사메디컬 www.hakjisamd.co.kr
심리검사연구소 인싸이트 www.inpsyt.co.kr
학술논문서비스 뉴논문 www.newnonmun.com
원격교육연수원 카운피아 www.counpia.com

만다라 그리기 후기